Sont parus dans cette série :

1. Les farces de Mélanie
2. Le trésor de Grégoire
3. Pioupiou s'évade
4. Mistouffe, le petit poney
5. Pimprenelle et le poireau farceur
6. L'amitié de Mathieu et Kazan
7. L'escapade de Julie Moineau
8. Tibo, le petit chien sourd
9. Quatre cousins mènent l'enquête
10. Une émouvante rencontre
11. Le château des vacances
12. Picolinette ou la poupée magique
13. Les amis de Cadichon
14. Les exploits de Cadichon
15. Les mémoires de Cadichon
16. La vie au moulin de Cadichon
17. Nicolas à la ferme
18. Pas de panique Ary !
19. Quel chaton turbulent !
20. Caramel le gentil caniche
21. Une surprise pour Natacha
22. D'incroyables vacances !
23. La semaine folle de Carole Domissol
24. Le cirque Fric-Frac
25. Zip, l'hirondelle
26. La balade des jouets
27. Minoutte, la petite chatte
28. Adorable Ciboulette

Dans notre série : «Mini-Club» :

UNE SURPRISE POUR NATACHA

Une histoire de
Jacques Thomas-Bilstein

Illustrée par
Valériane

Editions HEMMA

Chapitre I

NATACHA

Chers petits amis, je vais vous emmener dans un pays où les villages s'étendent au pied des montagnes, où les ruisseaux traversent calmement les prés, où les forêts abritent toutes sortes d'animaux.

Et dans ce décor splendide, nous ferons la connaissance d'une petite fille qui, un jour, rencontra un...
Mais n'allons pas trop vite !
Commençons par la fillette...
Natacha vit dans une ferme avec son papa et sa maman. Agée d'une dizaine d'années, elle a un visage rond, piqué de nombreuses taches de rousseur, des cheveux roux bouclés, des yeux verts brillant de malice.
En effet, notre petite amie est assez turbulente et espiègle. Elle ne se sent bien que lorsqu'elle se trouve en plein air à chasser les papillons, à pêcher la truite, à traire les vaches, à jouer dans les champs avec les autres enfants du village, à faire du rodéo sur les chèvres... Comme

aujourd'hui...

Malheureusement pour Natacha, Courte-Corne était de mauvaise humeur et la fillette s'est retrouvée dans une mare boueuse, à côté de Gros-Nez, le cochon.

Pour éviter de se faire gronder, Natacha a rincé son bermuda et sa chemisette dans le ruisseau puis a mis sa lessive à sécher au soleil...

Tout simplement.

Derrière les fenêtres de sa cuisine, maman a assisté à la scène, mais n'a rien dit. C'est quand même moins grave qu'avant-hier, lorsque sa fille a lâché les canards dans la prairie…

Ce matin-là, maman avait étendu les draps de lits, fraîchement lavés, sur les herbes. Imaginez la catastrophe quand les canards ont piétiné le tissu encore humide… Toute la lessive à recommencer !!!

Bien entendu, Natacha fut privée de dessert et, punition terrible pour notre amie, dut rester dans sa chambre jusqu'au dîner.

Chapitre II

ETRANGE DECOUVERTE

— Natacha! appelle maman. Je n'ai presque plus de pommes de pins pour allumer la cuisinière. Veux-tu aller m'en chercher?

— Bien sûr! répond la fillette en se précipitant vers la grange. Je prends mon panier et j'y vais.

— Inutile de courir ! lance maman. Trop tard ! La petite fille est déjà loin et galope en direction de la forêt. Marie sourit en la regardant s'éloigner et pense :

— Cette enfant est un véritable paquet de nerfs ! Mais je la préfère ainsi plutôt que malade…

Natacha arrive à hauteur des pre-

miers arbres. Elle quitte le sentier rocailleux, contourne quelques énormes rochers gris et pénètre dans le bois de sapins. Immédiatement, elle ramasse des pommes de pins bien sèches et les entasse dans son panier d'osier.

Soudain, la fillette s'immobilise : elle a entendu des petits gémissements plaintifs. Elle fronce les sourcils, tend l'oreille, puis avance sur la pointe des pieds. Encore un petit cri aigu.

— On dirait un appel au secours ! se dit l'enfant. Quelqu'un est sans doute blessé...

Alors, elle voit, contre une souche d'arbre, un animal couché sur le flanc.

— Un chiot ! s'étonne Natacha en

s'approchant. Il est pris dans un collet! Pauvre bébé... attends, je vais te libérer.

A ce moment, la bête prise au piège tourne la tête vers la fillette et la regarde avec des yeux plaintifs et larmoyants.

— Mais... c'est un loup! s'écrie Natacha, surprise.

Elle s'arrête et réfléchit :

— Que fait-il ici? Où sont ses parents? Je vais m'en aller! Non, je ne peux pas... Et s'il me mord? Tant pis, je risque! Pauvre bébé...

L'enfant s'approche en parlant doucement. Le louveteau ne réagit pas. A demi étranglé par le fil d'acier, il peut à peine respirer. Natacha le caresse, prend confiance, lui soulève la tête et le libère du piège. Le petit

loup se blottit dans les bras de la fillette et lui lèche les mains.

— Que vais-je faire de toi?
demande-t-elle en lissant la fourrure
grise. Pourtant, tu as une bonne
tête... avec cette tache ronde et blanche au milieu du front... et ton
oreille cassée... Tu es un drôle de
coco, tu sais!

Le jeune loup s'est endormi.

Natacha vide son panier, y installe tendrement son protégé et lui murmure :

— Je t'emmène ! On verra bien la réaction de papa et maman...

Alors, le panier sous le bras, notre petite amie prend le chemin de sa maison. Tout en marchant, elle songe à ce que ses parents vont dire en voyant le louveteau.

Mais Natacha se sent très fière car elle a sauvé la vie de ce bébé-loup. Elle est donc devenue un peu comme sa maman. Un grand sourire illumine son visage et ses beaux yeux verts pétillent de joie.

Chapitre III

COCO

Natacha arrive à la ferme de ses parents.
– Maman! Papa! s'écrie-t-elle d'une voix joyeuse. Venez voir ce que j'ai découvert dans la forêt!!!
Monsieur et madame Charlier sor-

tent de la cuisine et s'avancent vers
leur fille qui tient son panier derrière
le dos.

— Approchez! C'est formidable!

— Ce n'est pas encore une couleu-
vre comme l'autre fois, au moins?
se méfie maman.

— Ni un putois? ajoute papa.

— N'ayez pas peur, voyons! Il ne
vous mangera pas! Regardez!

Et elle présente fièrement son panier et le «trésor» qu'il contient.

Le louveteau lève la tête et regarde les parents de Natacha. Il plisse le nez et renifle à coups rapides l'odeur des deux adultes.

— Un loup! murmure Marie qui n'en croit pas ses yeux.

— Où l'as-tu trouvé? demande André en fronçant les sourcils.

— Dans le bois de sapins, prisonnier d'un collet. Il serait mort si je n'étais pas passée par là. Il a eu de la chance… Je vais l'appeler Coco. Il est beau, pas vrai? Qu'en dites-vous?

— Vraiment adorable! fait maman en caressant le jeune animal sous le menton. Il est si jeune et a déjà perdu sa mère. Que va-t-il devenir?

— Je m'en occuperai comme d'un bébé! décide Natacha en souriant.

— Pas si vite! interrompt papa. Ce «bébé», comme tu dis, grandira et deviendra un véritable loup. Un loup féroce, peut-être.

— Pas Coco! reprend la fillette. Je lui apprendrai les belles manières. Je lui...

— Natacha! intervient son père. C'est un animal sauvage. Il a des instincts de tueur. Tu n'y peux rien.

— Mais...

— N'insiste pas... Il faut le remettre dans la forêt. Il retrouvera sa famille, crois-moi...

Natacha regarde son père d'un air désolé. Elle sait qu'il est inutile de discuter...

Chapitre IV

NATACHA DESOBEIT

Notre petite amie soupire, baisse la
tête et, emportant son précieux far-
deau, reprend le chemin du bois.
Papa se dirige vers son atelier : il
doit réparer le pneu de la jeep.
Maman, elle, prépare le repas de

midi : poulet rôti, compote de pommes et croquettes.

Mais Natacha ne va pas au bois : elle fait un grand détour et revient à la ferme sans se faire voir. Elle pénètre dans la grange et attache Coco à une vieille corde derrière quelques bottes de paille.

– Ici, tu seras bien! lui dit-elle d'une voix douce. Ne te fais pas remarquer, surtout! On se reverra après le déjeuner...

Le louveteau regarde s'éloigner la fillette, se couche en soupirant et ferme les yeux.

Natacha termine son dessert et demande :

– Je peux aller jouer chez Lucie!

– Bien sûr, ma chérie! répond maman. Reviens pour le dîner.

– D'accord! Au revoir!

Et elle se précipite dehors. En quelques secondes, elle atteint la grange. La fillette ouvre délicatement la porte, entre puis referme le battant sans faire grincer les charnières. Elle sort un os de poulet de sa poche et appelle :

– Coco! J'ai une surprise pour toi! Viens voir!

Mais c'est Natacha qui a une surprise. En effet, le jeune loup a rongé la corde et a disparu...

— Où es-tu, vilain garnement ? Ce n'est pas gentil de faire ça...
Brusquement, Coco bondit et renverse notre amie dans la paille. Il se met alors à lui lécher les joues, les oreilles, le nez.
Natacha rit aux éclats et le repousse des mains et des pieds.

— Arrête, sauvage ! lance-t-elle. Grignote plutôt cet os.
Le louveteau s'en empare et le ronge avec beaucoup de plaisir.

— Ce soir, je t'apporterai du bon lait ! ajoute la petite fille en remplaçant la corde usée par une solide lanière de cuir. Sois sage !

Chapitre V

LE BIBERON

Le soir venu, Natacha se rend dans la grange avec, à la main, une grande bouteille de lait frais. Coco accueille sa nourrice avec des jappements aigus et joyeux.

— Voilà ce que je t'ai promis ! dit

notre amie. Du lait de première qualité, tout frais, aimablement offert par Courte-Corne.

Natacha pose la bouteille sur une botte de paille et extrait un gant de caoutchouc de la poche de sa salopette bleue.

— Maman l'utilise quand elle lave la vaisselle ! explique la fillette en souriant de malice.

Le louveteau la regarde avec curiosité, en inclinant la tête à gauche puis à droite.

A l'aide d'une paire de ciseaux, la petite fille coupe un doigt du gant et l'enfile sur le goulot. Ensuite, elle perce le bout de la tétine improvisée.

— C'est prêt, mon coquin! dit-elle en détachant Coco.

Elle soulève le jeune loup et l'installe sur ses genoux à la manière d'une maman avec son bébé. Mais Coco n'est pas un bébé humain : il refuse de boire, bave et renverse le bon lait sur lui, sur la paille et sur les vêtements de Natacha.

— Quel sauvage! se plaint la fillette en déposant son protégé sur le sol. Il faut que tu boives, bonhomme! Comment vais-je faire?

Natacha réfléchit, ferme les yeux, plisse le front et se gratte le crâne durant de longues secondes.

Coco, la langue pendante, semble attendre. Il pose la patte sur le genou de la petite fille et remue la queue.

— J'ai trouvé! se réjouit Natacha, un large sourire aux lèvres.

Elle présente vivement le biberon au louveteau.

Et Coco saisit la tétine dans sa gueule. Il boit le bon lait de chèvre sous le regard pétillant de joie de notre petite amie. Un bébé-loup ne prend pas la têtée comme un bébé d'homme...

Et l'amour s'installe entre le loup et l'enfant.

Chapitre VI

COCO FAIT UNE BÊTISE

Les jours passent.

Natacha a bien gardé son secret. Elle se débrouille toujours pour apporter un peu de nourriture à son protégé : un os de côtelette, un bout de saucisse, du lait frais, du gras de

jambon...

Le soleil se lève.

Papa, maman et Natacha dorment profondément dans leur lit douillet. Notre petite amie sourit : elle fait certainement un rêve très, très agréable.

Soudain, un bruit de cloches et des bêlements de chèvres se font entendre dans le calme du matin.

André s'éveille, cligne des paupières, se lève et écarte les tentures. Il jette un coup d'œil dans la cour de la ferme en marmonnant :

— Mais, pourquoi ces animaux s'agitent-ils de la sorte? On dirait qu'ils ont peur...

Brusquement, monsieur Charlier voit ce qui effraye ses chèvres.

— Tonnerre! jure-t-il en tapant du poing sur l'appui de fenêtre.

— Que se passe-t-il? demande son épouse en s'asseyant sur le lit.

— Regarde dans la cour, tu comprendras! Natacha ne perd rien pour attendre! Elle va m'entendre!

André, furieux, quitte précipitamment la chambre en grognant.

Marie se lève, ouvre la fenêtre et voit un jeune loup qui poursuit les chèvres affolées. Madame Charlier ne peut s'empêcher de sourire et de penser :

— Il semble s'amuser, le bougre !

Puis, une seconde plus tard :

— Natacha a désobéi... J'aurais dû m'en douter, car elle n'a même pas discuté lorsque nous lui avons dit d'aller rapporter ce louveteau dans la forêt... Elle a bien caché son jeu, la coquine !

André entre dans la chambre de sa fille et la réveille en déclarant :

— Natacha ! Il y a du travail qui t'attend.

La fillette sort du sommeil et se demande ce qui se passe. Elle regarde son père d'un air étonné. Pourquoi papa est-il en colère ? Pourquoi ces cris ?

Pourquoi ce vacarme?

— Ton petit protégé est en train de poursuivre les chèvres. Tu as cinq minutes pour faire cesser tout cela! Natacha bondit hors du lit et, pieds nus et en chemise de nuit, dévale l'escalier. Elle ouvre la porte et s'écrie :

— Coco! Viens ici, garnement! Tu ne peux pas ennuyer Courte-Corne et ses amies. Veux-tu obéir !!! Arrête tes sottises !

Le louveteau interrompt immédiatement la poursuite.

— Ce jeu était pourtant bien amusant ! pense-t-il en se dirigeant vers sa maîtresse.

Natacha s'assied sur les marches de pierre bleue et le loup vient poser la tête sur ses genoux.

— Tu es un vilain ! murmure notre amie en caressant Coco. Maintenant papa et maman ont découvert notre secret et ils sont fâchés. Je crois que ça va barder...

Coco baisse les oreilles et lèche doucement les mains de la fillette.

Chapitre VII

RETOUR A LA FORET

– Natacha! dit papa. Va attacher
ton animal dans la grange et reviens
de suite : nous avons à parler.
La fillette obéit et rentre à la maison, la tête basse et les mains derrière le dos.

– Tu as mal agi! commence maman. Nous t'avions fait confiance et tu nous as trompés.

– Mais maman...

– Tu n'as aucune excuse! interrompt papa.

Il lui prend le visage dans ses grandes mains, la regarde dans les yeux et lui explique :

– Le loup n'est pas fait pour vivre

avec les hommes! Il doit retourner d'où il vient. Après le petit déjeuner, je l'emmènerai de l'autre côté de la montagne avec la jeep. Il doit vivre parmi ceux de sa race. Tu comprends?

Deux grosses larmes coulent sur les joues de notre petite amie. D'une voix enrouée, elle répond :

– Tu as raison, papa!

Une heure plus tard, André Charlier, au volant de sa jeep, prend la route des montagnes, au nord.

Sur le siège voisin, Coco regarde défiler le paysage sans se douter de sa destination.

Le véhicule quitte la route et s'engage sur un chemin forestier.

Après quelques kilomètres, André et son compagnon de voyage arrivent en vue d'un lac immense.

— Pourquoi m'emmène-t-il par ici ? se demande Coco. Je ne connais pas cette région, moi...

Le conducteur emprunte alors un étroit sentier bordé de broussailles, d'aubépine, de fougères et de noisetiers. Les cahotements deviennent de plus en plus nombreux et brutaux à cause des morceaux de rochers qui sortent du sol.

Le louveteau juge plus sage de s'aplatir sur le siège : il ne tient pas à passer par-dessus bord.

Le véhicule ralentit, puis s'arrête au centre d'une clairière.

André tire le frein à main, mais ne coupe pas le moteur. Il déballe un os de côtelette et le présente à Coco. L'animal renifle, lèche puis ouvre la

gueule. Mais monsieur Charlier lui
retire ce délicieux cadeau et le lance
dans les herbes. Le jeune loup bondit par-dessus la portière et se précipite vers l'endroit oú l'os a atterri.
André démarre comme un bolide,
abandonnant le pauvre Coco dans
la clairière.
Le louveteau, surpris, dresse les
oreilles et regarde s'éloigner la jeep

qui soulève des nuages de poussière brune. Le véhicule disparaît très vite dans la forêt. Le bruit du moteur faiblit rapidement, puis le silence s'installe.

Coco ne bouge pas. Il ne comprend pas ce qui arrive.

— Qu'est-ce qui lui prend, se demande-t-il. J'espère qu'il va revenir me chercher...

Un oiseau siffle. D'autres lui répondent. Les mille petits bruits de la forêt renaissent peu à peu après le passage de cette voiture bruyante et effrayante.

Mais André ne revient pas et le louveteau se retrouve tout seul dans la forêt...

Chapitre VIII

L'OURS ET LES ABEILLES

Après quelques minutes d'attente,
Coco se rend à l'évidence : le père
de Natacha ne reviendra pas.
Natacha ! A cette pensée, le louveteau sent les forces et la volonté cou-
ler dans ses veines et décide :

– Je retournerai à la ferme tout seul comme un grand!

Et il se dirige vers le sentier emprunté par la jeep. Il en a même oublié l'os de côtelette…

Alors, commence pour le jeune loup le voyage du retour.

Le soleil est au zénith et, dans la forêt, la chaleur se fait étouffante. De plus, il n'y a pas le moindre souf-

42

fle de vent.

Notre petit ami a soif, son estomac crie famine et ses pattes lui font mal.

— Comme ce chemin est long! pense-t-il en s'asseyant lourdement sur le sol poussiéreux.

Mais l'amour qu'il porte à la fillette lui rend du courage.

Tout à coup, un bruit attire son attention. Sur la pointe des pattes, Coco traverse un taillis, contourne un buisson de ronces puis s'immobilise, étonné par le spectacle qu'il découvre.

A dix mètres devant lui, un ours a saccagé un nid d'abeilles et se régale de bon miel. Les insectes tournent furieusement autour du gros gourmand mais ce dernier ne s'en inquiète pas : il continue à savourer sa friandise préférée.

— Il a l'air d'aimer ça ! songe Coco.
J'aimerais bien y goûter, moi aussi.
Pourvu qu'il en laisse un peu.

L'ours, repu, arrête bientôt son
repas et, d'un pas lourd, s'éloigne
sans se presser.

— La route est libre ! se dit le louveteau. A mon tour, maintenant, de
goûter de cette chose dorée...

Mais à peine a-t-il fait trois pas que les abeilles foncent vers lui en vrombissant de colère. Coco ressent une vive douleur à la fesse puis à l'oreille. Il a compris le danger, tourne les talons et détale à toute allure. Notre ami fonce de toute la force de ses petites pattes, tourne à gauche, à droite puis passe sous un arbre abattu.

Les abeilles, furieuses, le poursuivent toujours.

Finalement, Coco se jette dans un massif de ronces, rampe quelques secondes, puis ne bouge plus d'un centimètre. Il fait le mort... Haletant, le cœur fou, il écoute les insectes qui tournent autour de son refuge végétal.

Plusieurs minutes plus tard, les

abeilles abandonnent leur ronde et repartent vers leur nid détruit.

Le louveteau pousse un grand soupir de soulagement.

— J'ai eu de la chance! pense-t-il en sortant prudemment de son abri. Quittons cet endroit au plus vite.

Coco marche de nombreuses heures encore. Il a tellement soif et faim qu'il se nourrit de quelques framboises à peine mûres. Ereinté, il s'allonge dans un fourré.

— J'étais si bien à la ferme en compagnie de Natacha! songe-t-il en pleurnichant.

Il ferme ses yeux pleins de larmes et s'endort, le ventre presque vide et le cœur triste.

Chapitre IX

LES FRERES
CASSE-NOISETTES

Au matin, Coco se réveille en fris-
sonnant. Il y a du brouillard sur la
forêt et la fourrure du louveteau est
couverte de fines gouttelettes
d'humidité... Le jeune loup quitte

son refuge, s'ébroue, s'étire et jette un coup d'œil autour de lui.

— La journée commence mal! pense-t-il en reprenant sa route sur le sentier rocailleux.

Mais l'astre du jour ne tarde pas à dissiper la brume et ses rayons réchauffent la nature… et notre petit ami par la même occasion. Coco s'installe sur un gros rocher et se fait sécher au soleil.

Dix minutes plus tard, le pelage bien sec et luisant, le louveteau saute de son perchoir et s'en va vers le sud, vers Natacha.

Un bruit de voix attire l'attention de Coco.

— Viens voir, Cric! J'ai trouvé un bon endroit.

— Bravo, Croc! Nous aurons assez

de provisions pour tout l'hiver.

Le jeune loup, guidé par la curiosité, s'avance et découvre deux écureuils en train de rassembler des noisettes.

— Bonjour! fait le louveteau.

Cric et Croc, surpris, abandonnent les fruits secs et, en moins de cinq secondes, grimpent au sommet de l'arbre voisin.

— Pourquoi fuyez-vous! demande

Coco, étonné de leur réaction.

— Tu es un loup! répond Cric.

— Et les loups mangent les écureuils! ajoute Croc.

— Je ne veux pas vous manger...
Au contraire, je voulais vous
demander un peu de nourriture.

Les frères Casse-Noisettes, intrigués,
se regardent en fronçant les sourcils.

— Il dit peut-être la vérité! murmure Cric à l'oreille de son frère.

— Après tout, il n'est encore qu'un bébé! souffle Croc. Aidons-le.

Les deux écureuils descendent du châtaigner, s'approchent du louve-teau et lui demandent :

— Quel est ton nom?

— Coco. Et vous?

— Cric et Croc. Nous sommes les frères Casse-Noisettes. Tu t'es perdu dans cette forêt?

— Pas tout à fait...

Et notre ami raconte son aventure depuis que Natacha lui a sauvé la vie...

— Nous te souhaitons de retrouver ta petite maîtresse! dit Cric.

— Aimes-tu les noisettes? interroge Croc.

— Je n'ai jamais goûté...

— C'est délicieux, tu verras !

Et les deux écureuils se mettent à briser la coque des fruits secs et offrent la chair blanche et douce au petit loup.

Les noisettes ne plaisent pas vraiment au louveteau, mais il a tellement faim qu'il en mange une bonne vingtaine.

— Merci beaucoup, mes amis ! C'était très bon.

— Nous sommes contents de t'avoir rendu service.

— Maintenant, je dois continuer mon chemin.

— Bonne chance, Coco ! En suivant ce sentier, tu ne pourras pas te tromper.

— Au revoir, mes amis !

— Bonne route, Coco !

Chapitre X

CURIEUSES RENCONTRES

Après avoir marché plusieurs heures, le louveteau atteint la rive d'un grand lac.

— Je suis bien sur la bonne route! se réjouit Coco en reconnaissant l'endroit. Avant d'aller plus loin, je dois me désaltérer. J'ai une de ces soifs!

Il s'approche du lac et se penche pour boire un peu. A cet instant, il aperçoit son reflet dans l'eau calme et pure.

— Chouette! un copain! s'écrie notre petit ami. Bonjour! Comment t'appelles-tu?

Bien entendu, personne ne lui répond.

— Tu es perdu, toi aussi? reprend Coco en se penchant davantage.

Toujours aucune réponse.

— Pourquoi ne dis-tu rien? Ce n'est pas très poli, tu sais.

Et il tend une patte en direction de son silencieux «copain».

Hélas! le louveteau glisse sur la mousse verte, pirouette et, en un ins-

tant se, retrouve dans l'eau jusqu'au cou. Il se débat, gratte, rampe et parvient finalement à rejoindre la rive.

Quelle peur!!

Notre pauvre ami s'ébroue énergiquement et, pour la deuxième fois de la journée, se fait sécher au soleil. Une fois bien sec, Coco s'apprête à reprendre son chemin vers le sud. A

cet instant, il entend une voix douce
qui chantonne :
« Je m'appelle Violette,
La reine de la forêt.
Je m'appelle Violette,
Tout le monde me connaît.
J'aime les violettes
Pour leur parfum discret.
J'aime les violettes
Qui poussent dans la forêt ».

Intrigué, le jeune loup cherche des yeux l'interprète de cette chansonnette et le trouve.

Non loin de là, un animal au pelage noir rayé de blanc avance en se dandinant et en chantant.

— Chouette! un copain! se réjouit Coco. Et celui-ci, il sait parler. J'espère qu'il voudra bien jouer un peu avec moi...

Et le louveteau s'élance, tout heureux d'avoir rencontré un nouveau compagnon de jeux.

En voyant le loup se précipiter vers elle, dame Putois s'arrête et dresse la queue... Lorsque Coco se trouve assez près, elle lui projette à la tête un liquide à l'odeur infecte.

Les putois se défendent de cette manière et les agresseurs s'en souviennent très longtemps...

Le louveteau n'en croit pas ses yeux... ni son nez. Il court dans tous les sens, se roule dans les herbes, dans la poussière... Il essaye, par tous les moyens, de faire disparaître cette épouvantable odeur mais n'y parvient pas.

— Pourquoi m'avoir fait ça? se demande-t-il. Je ne comprends pas. Je voulais simplement jouer un peu...

Alors, n'ayant pas trouvé d'autre solution à son problème, Coco se précipite à l'eau. Il y barbote quelques instants, puis regagne la berge. Il s'ébroue à plusieurs reprises; ensuite, pour la troisième fois de la journée, se fait sécher au soleil.

Chapitre XI

NATACHA S'ENNUIE

Que devient notre petite amie Natacha dans cette histoire?
La fillette s'ennuie à la ferme.
Les enfants du village sont venus
plusieurs fois lui demander de par-
tager leurs jeux : promenades à

vélo, cache-cache, gendarmes et voleurs...

Rien ne semble intéresser Natacha depuis le départ de Coco. Elle demeure des heures entières assise sur le banc, à l'ombre de la vigne, le regard perdu très loin du côté des montagnes...

— Tu ne te sens pas bien, ma chérie? demande Marie en lui caressant la joue. Que se passe-t-il?

— Rien, maman...

— A quoi penses-tu?

— A Coco!... Il doit être bien malheureux, là-bas!

— Mais non, voyons! Je suis certaine qu'il a déjà retrouvé ses parents.

— Tu crois?

— Bien sûr... Que dirais-tu d'une

bonne tarte au riz pour demain à midi ? Si ma mémoire est bonne, c'est celle que tu préfères, non ?

— Si tu veux...

— Tu dois manger, tu sais ! A ton âge, on a besoin de beaucoup de forces pour grandir. Tu feras bien un effort ? Promis ?

— J'essayerai, maman...

Parfois, la fillette emporte un bloc-

notes et un crayon sous la véranda et se met à dessiner des loups. Rien que des loups. Et ils ont tous une oreille cassée et une tache ronde et blanche sur le front. Alors, Natacha les regarde longuement et les caresse du bout des doigts. Et des larmes viennent mouiller ses beaux yeux couleur menthe à l'eau.

— Natacha m'inquiète! dit Marie en plissant le front. Depuis le départ du louveteau, elle est triste, et ne touche pratiquement plus à la nourriture que je lui présente.

— Avec le temps, elle oubliera! répond André sur un ton rassurant. Dans quelques jours, elle n'y pensera plus.

— Je n'en suis pas si sûre! soupire madame Charlier.

Chapitre XII

DES LUMIERES DANS LA NUIT

— Et maintenant, se demande Coco, de quel côté dois-je me diriger? A gauche! A droite? Je ne me souviens plus très bien...

Il lève les yeux et constate :

— Le soir tombe. Je ferais mieux de

penser à trouver un abri pour la nuit. Demain matin, je choisirai ma route.

A l'horizon, du côté de l'ouest, le soleil disparaît lentement derrière une gigantesque chaîne montagneuse. Le ciel devient rouge, puis de plus en plus sombre.

Le louveteau a découvert un refuge particulièrement douillet dans un arbre creux et s'y installe confortablement. Il prête l'oreille au chant bizarre des grillons et des grenouilles. Quelques lucioles passent en zigzaguant.

— On dirait des mouches qui se baladent avec une lanterne! pense le loup en suivant des yeux les minuscules points fluorescents.

Mais en plus des habituels bruits de

la nuit, Coco perçoit quelques notes de musique. Il quitte sa tanière et inspecte les environs.

De l'autre côté du lac, il aperçoit des lumières multicolores dont certaines clignotent. Et la musique provient du même endroit.

– Voilà enfin ma destination ! se réjouit le louveteau. Je vais bientôt revoir Natacha !

Les fatigues et les déboires de la journée sont oubliés en moins d'une seconde.

Sans hésitation, Coco se met en route et entreprend de contourner le lac par la gauche. Comme il est heureux, Coco ! Il pense à tout ce qu'ils vont pouvoir faire, la fillette et lui, lorsqu'ils se seront retrouvés… Ils s'amuseront comme des fous à jouer

dans la forêt, les prairies, au bord
du ruisseau...

La musique le tire de sa rêverie.

Le louveteau se rapproche de plus
en plus des lumières de toutes les
couleurs. Maintenant, il entend
même des paroles qui résonnent
dans la nuit comme si elles étaient
prononcées par un géant. Ce qui ne
rassure pas tellement notre ami,
d'ailleurs...

Quelque chose ne tourne pas rond
dans tout cela...

Et le jeune loup commence à avoir
des doutes...

Il s'arrête un instant, s'assied et
réfléchit :

— Je n'ai jamais vu toutes ces boules lumineuses ni entendu ce
vacarme lorsque j'étais à la ferme

avec ma petite maîtresse. Je me suis certainement trompé de direction.

Mais la curiosité est la plus forte et Coco reprend la route.

Le voici arrivé devant les premières maisons du village.

Le louveteau entend toutes sortes de mélodies, de cris, d'appels, de rires, de sirènes, de roulements de tambour... Il voit des lumières rouges, bleues, blanches, vertes, jaunes... Il sent diverses odeurs, plus appétissantes les unes que les autres.

Qui pourrait résister à ces senteurs de saucisses grillées, de beignets, de brochettes rôties et de gaufres au sucre ?

Chapitre XIII

LA FÊTE FORAINE

Coco s'aventure plus avant dans les rues du village en fête.

Les forains ont installé leurs baraques : la loterie, les balançoires, les carrousels, les miroirs déformants, le tir aux pipes... chacun crie, appelle la foule. Les vendeurs de croustillons, de hot-dogs et de barbe-à-papa vantent les qualités de leurs produits. Les hauts-parleurs diffusent de la musique assourdissante.

Le louveteau est étourdi par ce mélange de bruits, de lumières et d'odeurs. Il avance, se faufile entre les promeneurs.

Un bambin pleure, car il a fait tomber sa crème glacée dans le caniveau.

Un homme, excellent tireur, a décroché un porte-clés en forme de ballon de football.

Une femme pousse un hurlement de frayeur lorsqu'elle découvre la présence de notre petit ami.

– Un loup! Au secours!

La panique éclate et se propage en un instant. Les gens s'enfuient. Les parents emmènent rapidement leurs enfants.

Soudain, Coco se sent saisi par le cou et soulevé de terre.

Un grand rire sonore éclate à ses oreilles.

– La voilà, votre terreur! s'écrie le forain en brandissant le jeune loup à bout de bras. Quel monstre! Ha!

Ha! Ha!

Le calme revient peu à peu parmi la foule apeurée. Tous les yeux sont fixés sur Coco qui se débat et grogne inutilement.

— Qu'allez-vous en faire? demande quelqu'un.

— Prendre sa peau pour m'en faire des chaussettes! plaisante le forain. A ces mots, le louveteau réagit violemment et plante ses crocs dans la main de l'homme. Ce dernier pousse un cri de douleur et lâche sa proie... Coco roule sur le sol, se redresse et fonce, comme un bolide, en direction du sentier qui contourne le lac. Pauvre Coco...

Chapitre XIV

LE VIEUX LOUP

L'aube se prépare lentement.
Après avoir passé une très mauvaise
nuit, notre petit ami le louveteau
lape un peu d'eau fraîche et essaye
de se remettre les idées en place.
— Quelle soirée ! pense-t-il. Qu'est-

ce qui leur a pris à tous ces humains ? Vraiment des sauvages ! Je ne leur avais rien fait, moi...

Il se passe la langue sur les babines, puis soupire de soulagement.

— Je ne m'en suis pas trop mal tiré, après tout... Bien ! J'ai intérêt à m'éloigner d'ici au plus vite avant qu'ils ne se mettent à ma recherche...

Et Coco s'en va dans la direction opposée au village.

Au bout d'une vingtaine de minutes, un parfum agréable lui chatouille les narines : de la viande !

Il suit la piste, le nez en l'air ou au ras du sol. Parfois, le louveteau s'arrête, renifle, puis reprend ses recherches.

L'odeur se fait plus précise.

— L'objectif est proche ! se réjouit le loup en accélérant un peu l'allure.

En effet, au détour d'un gros rocher, il découvre un os.

Tout heureux, Coco se précipite sur sa trouvaille.

Malheureusement, il ne reste que quelques lambeaux de viande à manger.

— C'est mieux que rien ! se dit notre

ami en s'installant dans les herbes tendres. Il y a aussi un peu de moëlle... Ce n'est pas un petit déjeuner très copieux mais il me donnera des forces pour continuer mon voyage.

A ce moment, un bruit de feuilles froissées attire l'attention du louveteau. Il se dresse, retrousse les babines et fait face en grognant.

Un vieux loup apparaît en boîtant, titube et s'écroule en gémissant sourdement.

Coco se précipite auprès du nouveau venu et lui demande :

— Que se passe-t-il? Es-tu blessé? Où as-tu mal?

— Je ne suis pas blessé! répond l'animal. Je suis épuisé. Les chasseurs me traquent depuis bientôt

trois jours. Je suis à bout de forces.
Il faut que je mange un peu sinon
ils me rattraperont…

Sans hésiter, notre ami se dirige vers
l'os qu'il a découvert et le présente
à son vieux compagnon en lui expli-
quant :

— Il ne reste presque plus rien mais
c'est tout ce que j'ai…

— Tu es un brave petit. Comment

t'appelles-tu?

— Coco! Et toi?

— J'ai oublié mon nom, mais peu importe... Que fais-tu par ici? L'endroit est dangereux, tu sais!

— Je m'en suis aperçu hier soir...
Et le louveteau lui raconte sa mésaventure de la veille.

Le vieux loup sans nom écoute en rongeant soigneusement l'os que lui a offert Coco.

– Tu devrais m'accompagner ! propose-t-il à son jeune ami. Je retourne dans les montagnes, là où vit ma famille, là où les chasseurs ont peur de s'aventurer, là où les loups sont les maîtres...

– Je dois retrouver Natacha ! explique Coco.

– Qui est Natacha ?

En quelques mots, le louveteau le met au courant des événements de ces derniers jours.

Le vieux loup hoche affirmativement la tête et enchaîne :

– Je comprends... Mais si elle ne veut plus de toi, que feras-tu ?

– Cela n'arrivera pas ! Je l'aime et elle m'aime.

– Comme tu voudras, Coco...

Merci pour la nourriture. Je vais me reposer quelques minutes avant de repartir...

— Je dois m'en aller! fait le jeune loup d'une voix claire. Il me reste encore un long chemin à parcourir jusqu'à la ferme. Veille bien sur ta famille... Au revoir!

— Prends soin de toi, gamin! Au revoir et bonne chance.

Les deux loups se séparent sur un dernier regard amical.

Celui qui a oublié son nom rejoindra sa tribu dans les montagnes et le louveteau essayera de vivre avec les êtres humains.

Chapitre XV

LES CAMPEURS

Le soleil est haut dans le ciel.
Quelques nuages dérivent sans se presser.
Le vent transporte le délicat parfum des fleurs des bois.
Coco avance sur le sentier poussié-

reux. Il est heureux d'avoir aidé le vieux loup dans sa fuite devant les chasseurs. De plus, il reconnaît certains détails du paysage : le grand chêne solitaire au bord du lac, le saule pleureur dont les branches pendent dans l'eau, les trois bouleaux entourant un rocher noir...

Tout cela lui donne du courage.

— Cette fois, je suis sur le bon chemin ! jubile-t-il.

Tout à coup, un bruit de pas. Des hommes. Des chasseurs ? Les sauvages d'hier au soir ?

Coco se dissimule hâtivement dans un fourré et attend, les oreilles aux aguets, les narines palpitantes et le cœur battant.

— L'endroit est magnifique ! lance quelqu'un. Qu'en dites-vous ?

— Superbe! ajoute un autre. Si on faisait une halte.

— Bonne idée! approuve une voix de femme. Occupez-vous du feu, Betty et moi allons préparer la viande.

Les quatre campeurs déposent les sacs à dos sur le sol, puis se mettent à l'ouvrage. Robert et Luc rassemblent du bois mort et allument un

feu au milieu d'un cercle de grosses pierres. Josiane et Betty déballent les saucisses et les côtelettes bien juteuses. Elles les assaisonnent puis les disposent dans une grande poële à frire.

Le louveteau, les yeux écarquillés, se lèche les babines. Il a le ventre vide et ces préparatifs éveillent en lui une irrésistible envie de manger.

— Comment faire pour recevoir une petite part? se demande-t-il. En me voyant, ils réagiront certainement comme ceux du village... Alors, il ne me reste qu'une solution.

Coco se met à ramper silencieusement et, tout en restant à couvert, se rapproche des campeurs.

La viande cuit dans la poële et des arômes appétissants se répandent

partout au gré du vent.

Notre petit ami n'en peut plus. Son ventre crie famine et la tête lui tourne par instant.

— C'est prêt! annonce Betty. Préparez vos assiettes!

Chacun s'installe autour du feu de camp et Josiane fait le service avec des gestes sûrs et précis.

— Ça sent bon! apprécie Luc.

— J'ai une faim de loup! ajoute Robert en découpant un morceau de saucisse bien rôtie.

— Où sont les boissons? interroge Betty.

— Il y a de la bière dans mon sac! fait Luc en déposant son assiette sur une pierre plate. Ne bouge pas, j'y vais!

Coco réagit sur-le-champ. Il bondit de sa cachette et fonce en direction des campeurs. Il frôle les deux femmes étonnées, s'empare de la côtelette de Luc, évite Robert et disparaît dans les fougères, de l'autre côté du sentier.

Tout s'est passé si vite qu'aucun humain n'a pu faire le moindre geste.

Chapitre XVI

LE HERISSON

— Qu'est-ce que c'était? demande
Josiane d'une voix tremblante.

— Un jeune loup, je crois! répond
Robert en se mettant debout.

— Un loup! s'étonne Betty. Mais
c'est dangereux de se balader dans

cette forêt.

— Ne crains rien! rassure Luc. Ce
n'était qu'un bébé...

— Un bébé a des parents! ajoute
Josiane. Nous ferions mieux d'aller
nous installer ailleurs.

— Si ce louveteau avait un père et
une mère, il ne serait pas obligé de
chercher lui-même sa nourriture!
enchaîne Robert.

— Peut-être... reprend Betty. Cependant, je partage entièrement l'avis de Josiane : allons-nous en.

— D'accord ! soupire Luc. Il y a un village à cinq kilomètres sur notre gauche. Nous mangerons un peu plus tard que prévu, voilà tout.

— Nous mangerons ! insiste Robert en souriant. Toi, tu n'as plus rien à te mettre sous la dent. Ha ! Ha ! Ha !

Les campeurs remballent leur matériel, éteignent soigneusement le feu de camp, puis s'en vont en bavardant joyeusement.

Pendant ce temps, Coco a dévoré le morceau de viande à belles dents et est occupé à ronger l'os.

— Mon plan s'est déroulé à merveille ! pense-t-il. Ils ont été surpris par mon action... Et ma récompense est délicieuse...

Après son repas, le louveteau s'allonge dans les fougères et s'endort paisiblement, bercé par le chant des oiseaux.

— Regarde ce bébé loup! dit une voix douce. Comme il est mignon! Il est certainement perdu, loin de sa maman et de son papa.

— Ne t'approche pas trop, Emilie! avertit une autre voix... On ne sait jamais avec ces animaux-là...

— Tu exagères, Paul! Ce petit loup ne ferait pas de mal à une mouche, voyons!

Cette conversation réveille notre ami. Il ouvre les yeux, cligne des paupières et aperçoit deux boules brunes couvertes de piquants.

— Qui êtes-vous? s'inquiète Coco.

— Monsieur et madame Cure-Dents, mon jeune ami! répond Emilie en souriant. Et toi, quel est ton nom?

— Coco... Mais pourquoi portez-vous toutes ces choses pointues sur le dos?

— Pour nous défendre! enchaîne Paul. Lorsque nous sommes en danger, nous nous roulons en boule.

Notre agresseur attaque et se pique le nez.

En général, il n'insiste pas : il se sauve en pleurant.

— C'est bien pratique ! apprécie le louveteau en hochant la tête. Je suis content de vous avoir rencontrés. Maintenant, je suis obligé de vous quitter.

— Où t'en vas-tu ? demande

madame Cure-Dents.

— A la ferme de Natacha.

— Nous la connaissons! intervient Paul. Elle a soigné mon frère l'année dernière. Il s'était cassé une patte et cette brave fillette s'en est occupée mieux qu'une infirmière.

— Cela ne m'étonne pas! ajoute notre ami avec fierté.

Et il raconte ses aventures aux deux hérissons attentifs.

— Tu l'as échappé belle! commente Emilie. Avec ces êtres humains, il faut s'attendre à tout.

— Pas tous! rectifie Paul. Certains sont très gentils envers nous.

— Vous avez bien raison, monsieur Cure-Dents! approuve Coco en pensant à sa petite maîtresse.

— Pouvons-nous t'accompagner

jusqu'à la ferme? lui demande madame Cure-Dents.

— Avec plaisir!

— Pourquoi veux-tu aller là-bas? s'étonne Paul.

— Pour rendre un petit service...

— Quel genre de service?

— Nous ne mangeons que des insectes, ce sont les ennemis du jardinier... Le papa de Natacha possède un magnifique potager alors, je pensais l'aider à nettoyer ses légumes de tous leurs parasites.

— Excellente idée! approuve Coco.

— Qu'est-ce qu'on attend? interroge monsieur Cure-Dents sur un ton joyeux. En route!

Et les trois amis prennent la direction du sud.

Chapitre XVII

L'ACCIDENT

— Natacha! appelle son papa. Je vais dans la forêt pour abattre un arbre mort. Tu m'accompagnes?

— Je n'en ai pas envie...

— Vas-y! insiste maman. Cela te fera du bien de te changer les idées.

— Je préfère rester ici…

— Tant pis pour toi ! reprend André
en s'éloignant. Si je trouve un trésor, je le garderai pour moi.

La fillette ne répond pas, prend une
paire de ciseaux et découpe soigneusement les nombreux loups qu'elle
a dessinés.

Monsieur Charlier monte dans sa
jeep et lance le moteur. Le front

plissé, il réfléchit un instant.

– J'aurais peut-être dû faire un essai avec ce loup... Natacha l'aimait beaucoup. Depuis le jour où j'ai ramené cet animal dans la forêt, elle ne mange presque plus, évite ses amis et ne nous adresse que de rares paroles... J'espère qu'elle oubliera ce louveteau ! De toute manière, il est trop tard ! Impossible de revenir en arrière...

Le véhicule démarre en douceur et se dirige au nord, vers les montagnes aux sommets enneigés.

Le soleil brille de mille feux, le ciel est bleu, les papillons et les abeilles, volent dans les prés.

André arrive à destination. Il arrête sa jeep à l'orée de la forêt, coupe le moteur et décharge son matériel :

une cognée et une scie. Il enfile une paire de gants de cuir et s'enfonce dans le sous-bois.

Après une dizaine de minutes, il arrive en vue de son objectif : un bouleau mort aux branches nues et fragiles.

Monsieur Charlier appuie la scie contre le tronc d'un hêtre puis, la hache à la main, s'approche du bouleau. Immédiatement, il se met au travail.

Le fer de la cognée pénètre facilement dans le bois tendre. L'écorce blanche se déchire et les copeaux volent dans tous les sens.

Les coups se succèdent à un rythme régulier et, bientôt, l'arbre s'abat dans un grand craquement.

— Voilà une bonne chose de faite !

se dit le père de Natacha en s'essuyant le front d'un revers de manche. Je vais élaguer ce tronc puis avec ma scie, je le débiterai en bûches. Elle seront les bienvenues pendant les mois d'hiver !

Il s'approche de l'arbre abattu et pose malencontreusement le pied dans un terrier de lièvre. André s'étale. Sa cheville se tord doulou-

reusement et un bruit inquiétant se fait entendre... Monsieur Charlier ressent une vive douleur et gémit sourdement :

— Probablement une entorse! grimace-t-il. Tonnerre de tonnerre! Quelle malchance!

Il se redresse avec précaution, mais à peine a-t-il posé le pied à terre qu'il renonce à sa tentative : la douleur est trop forte.

— C'est plus grave que je ne pensais... Peut-être même une fracture! Me voilà dans de beaux draps...

A cet instant, un craquement furtif attire son attention.

André inspecte les alentours et remarque quelques fougères qui s'agitent sur le passage d'un animal. Mais de quel animal?

Chapitre XIII

LE PARDON

L'inquiétude gagne monsieur Charlier. Il tente de s'emparer de sa cognée, mais elle est tombée à trois mètres de lui. Il n'aura pas le temps de la saisir avant l'arrivée de l'animal...

André serre les dents et empoigne une branche morte.

– Ce n'est pas une arme efficace, mais je pourrais malgré tout...

Ses réflexions sont interrompues par l'apparition de la bête... Des trois bêtes, plus exactement : deux hérissons et un louveteau gris à l'oreille cassée...

Le blessé n'en croit pas ses yeux et marmonne :

– Coco? C'est bien toi?

Notre ami reconnaît le père de Natacha. Et de pénibles souvenirs lui reviennent en mémoire : la jeep qui démarre à toute vitesse, la solitude du jeune loup, la peur également... et tous les dangers rencontrés sur la longue route du retour.

Coco retrousse les babines et

s'avance en grognant.

— Qu'est-ce que tu as? s'inquiète
André en serrant plus fort la bran-
che morte. Tu ne me reconnais pas?
Coco! As-tu oublié Natacha?
A ces mots, le louveteau s'immobi-
lise et hésite :

— Que vas-tu faire? demande monsieur Cure-Dents.
Cet homme m'a abandonné dans la

forêt. Il est méchant !

— Peut-être as-tu raison ! intervient Emilie. Mais aujourd'hui, il est en difficulté et a besoin d'aide… et il est le papa de ta petite maîtresse. Pardonne-lui et porte-lui secours ! Monsieur Charlier ne comprend pas les hésitations du loup. De plus, il est étonné du comportement étrange des hérissons.

– Coco! supplie-t-il. Aide-moi, s'il te plaît. Je suis incapable de marcher et j'ai besoin des soins d'un docteur. Cours jusqu'à la ferme et ramène du secours. Je t'en prie! Aide-moi!

Le jeune loup ne sait que faire. Il lance un regard perdu vers ses deux amis.

– Vas-y! conseille madame Cure-Dents. Nous t'attendrons ici.

Le louveteau pose encore une fois ses yeux jaunes sur le blessé puis, brusquement, fait volte-face et disparaît dans les taillis.

André pousse un long soupir de soulagement et s'adosse, avec difficulté, au tronc de l'arbre abattu.

Les deux hérissons s'installent confortablement dans les herbes et commentent les derniers événements.

— Coco a choisi la bonne solution !
apprécie Emilie. C'est vraiment un
brave petit !

— J'espère que cet être humain s'en
souviendra ! ajoute Paul. Ce n'est
pas tous les jours qu'un loup aide un
homme...

Le louveteau quitte la forêt et
débouche dans la grande prairie. Il
aperçoit le petit ruisseau sur sa gauche et, au loin, une ferme en pierres
grises.

La ferme où l'attend Natacha !

Et cette pensée redonne des forces
à notre ami qui galope de plus belle
parmi les hautes herbes.

Chapitre XIX

LES RETROUVAILLES

Coco arrive enfin tout essoufflé, à la ferme. Il contourne la grange et entre, sans hésitation, dans la grande cour.

A son approche, quelques poules s'enfuient en caquetant bruyam-

ment.

Artaban, le coq, se dresse, mena-
çant, prêt à défendre la basse-cour.
Les pigeons s'envolent et cherchent
refuge sur les toits. Doigts-Palmés,
le jars écarte les ailes d'un air agres-
sif.

Mais le louveteau ne se soucie pas
de la pagaille qu'il provoque dans la
basse-cour. Il se dirige vers la cui-

sine et gratte à la porte à plusieurs reprises.

Le battant s'ouvre et madame Charlier apparaît.

— Mais qu'est-ce qui...

Elle n'achève pas sa phrase : elle vient de découvrir la présence de Coco sur le seuil de pierre bleue.

Le louveteau, la langue pendante et le souffle court, la regarde franchement.

— Que fais-tu ici? demande Marie en s'agenouillant devant le jeune animal fatigué.

Elle tend la main et le caresse derrière les oreilles.

— Tu as parcouru un fameux chemin pour revenir ici! Je connais quelqu'un qui sera content de te revoir.

Elle prend le louveteau dans ses bras et l'emporte sous la véranda.

Natacha, qui n'a rien entendu du vacarme, dessine un loup à l'oreille cassée sur du papier blanc. Et elle y met tout son cœur…

— Ma chérie! appelle maman. De la visite pour toi.

L'enfant lève les yeux et immédiatement, aperçoit Coco. Elle laisse tomber son crayon et écarte les lèvres. Aucun son ne sort de sa gorge serrée. De grosses larmes de joie roulent sur ses joues et éclatent sur le papier.

Coco se débat, échappe des bras de madame Charlier et saute souplement sur le plancher.

Natacha quitte son bureau, ouvre les mains et, sans un mot, accueille le louveteau. Tout son bonheur et son amour pour l'animal se lisent aisément dans ses yeux verts.

Les retrouvailles sont passionnées : le loup lèche les larmes de la gamine, se roule à ses pieds, se frotte contre ses jambes ; notre amie rit et pleure à la fois, elle caresse Coco et l'embrasse.

Quel spectacle attendrissant !

Madame Charlier demeure immobile sur le seuil de la véranda. Elle ne peut retenir les larmes qui lui brûlent les paupières.

— Papa l'a retrouvé? interroge Natacha d'une voix mal assurée.

— Non, ma chérie! Il est revenu tout seul. Il en a fait des kilomètres pour te rejoindre... C'est un véritable ami!

— Oh! oui, maman! Mais que va dire papa quand il saura?

— Ne t'inquiète pas pour ça! Ton père n'aura pas le cœur de te séparer de ce loup une seconde fois. Un amour comme ça est bien trop rare pour le briser.

— Quand reviendra-t-il?

— Lorsqu'il aura terminé son travail dans la forêt.

A ces mots, le louveteau se souvient de l'homme blessé près du bouleau mort. Coco se dégage de l'étreinte de la fillette, descend les quelques marches qui mènent au jardin puis rejoint sa petite maîtresse en grognant et jappant.

– Qu'est-ce qui lui prend ? s'inquiète l'enfant.

– Il veut nous faire comprendre

quelque chose.

Le jeune loup saisit le bermuda de Natacha dans sa gueule, tire puis se précipite vers le potager.

– Il nous demande de le suivre ! s'étonne notre amie. Pour quelles raisons, maman ?

– Je n'en sais rien… Suivons-le quand même ! Viens, ma chérie !

Marie et Natacha, précédées de Coco, se dirigent vers la forêt.

Vingt minutes plus tard, le trio aperçoit la jeep d'André garée non loin d'un buisson d'aubépine.

– André ! appelle madame Charlier, les mains en porte-voix.

Aucune réponse.

Le jeune loup recommence son manège et Marie et sa fille décident de continuer à le suivre.

Chapitre XX

RETOUR A LA FERME

Coco s'enfonce dans la forêt sans
hésiter, un seul instant, sur la direction à prendre. Par instant, il
s'arrête et se retourne pour s'assu-
rer que Marie et Natacha ne le per-
dent pas de vue. Ensuite, il se remet

en route en bondissant par-dessus les
fougères.

— Mais où nous emmène-t-il?
demande la fillette.

— Nous le saurons bientôt, ma chérie! Continuons.

Après quelques minutes de marche,
madame Charlier et sa fille décou-
vrent André toujours adossé au
tronc du bouleau abattu.

— Papa! s'exclame notre amie. Tu es blessé?

— Que s'est-il passé? interroge Marie en s'agenouillant auprès de son mari.

— Ma cheville droite! explique-t-il. Un entorse ou une fracture. Je dois voir un médecin au plus vite... C'est Coco qui est allé vous chercher?

— Oui! répond fièrement l'enfant. Alors, André raconte son accident et sa rencontre avec le louveteau et les deux hérissons. Natacha, elle, lui explique la manière dont Coco s'y est pris pour les conduire jusqu'à lui.

Pendant ce temps, à l'aide de la scie, Marie a coupé deux branches fourchues et les nettoie de toutes leurs feuilles

– Cela te servira de béquilles jusqu'à la jeep, mon chéri. Du courage ! Serre les dents et vas-y !

Monsieur Charlier s'assied sur le tronc puis, les béquilles improvisées sous les aisselles, se déplace difficilement en grimaçant à chaque secousse un peu trop brutale.

Les voici enfin arrivés à la jeep. Marie aide son époux à s'installer

sur le siège-passager puis s'assied au volant et met le contact.

Natacha attend devant le véhicule. Coco est assis à ses pieds. L'enfant et l'animal regardent les adultes avec la même expression au fond des yeux : un mélange de peur et d'espoir.

Le regard de monsieur Charlier se pose sur eux. Un fin sourire se dessine sur ses lèvres. Il hoche la tête et déclare :

— Qu'est-ce que vous attendez pour monter, vous deux ?

La fillette saute de joie, prend le louveteau dans ses bras et s'exclame, ravie :

— Merci, papa !

La jeep démarre en douceur.

Marie tâche, autant que possible,

d'éviter les cahots trop violents afin de ne pas faire souffrir inutilement son mari.

— Heureusement que maman sait conduire, lance Natacha, sinon nous aurions été obligées de te porter...

— Ou d'envoyer une nouvelle fois Coco chercher de l'aide au village ! ajoute madame Charlier d'une voix pleine de malice. C'est une brave bête, ce loup !

— Je sais ! fait André en lançant un coup d'œil à sa femme. Je suis certain qu'il sera un excellent compagnon pour nous.

A ces mots, Coco lui pose les pattes sur les épaules et se met à lui lécher les oreilles.

Chapitre XXI

TOUT FINIT BIEN

Les semaines ont passé depuis le retour de Coco à la ferme.

Monsieur Charlier souffrait d'une fracture de la cheville et fut plâtré, le jour même, par le docteur Lejeune.

Natacha a retrouvé son appétit, sa joie de vivre et ses belles joues rondes et colorées.

Coco a grandi mais n'a rien perdu de sa gentillesse.

L'animal et la fillette ne se quittent pratiquement pas... Ce fut d'ailleurs un fameux problème le jour de la rentrée des classes. Un loup dans une école! Du jamais vu!

Natacha le ramena chez elle à plusieurs reprises et l'attacha sous la véranda avant de repartir, en courant, pour l'école.

Finalement, Coco comprit que sa place était à la ferme. Il devint un excellent garde, toujours aux aguets et prêt à donner l'alerte... Mais, très souvent, il règle lui-même les problèmes qui se posent quand ses maîtres dorment. Beaucoup de renards, belettes et autres voleurs de poules se souviendront longtemps de leur rencontre avec Coco…

Aujourd'hui, le docteur a ôté le plâtre d'André et pour fêter cet important événement, maman a préparé de succulents gâteaux aux noisettes et invité quelques voisins.

Après le goûter, monsieur Charlier

prend la parole et déclare en caressant le loup sous le menton.

— Mes amis! Vous connaissez Coco depuis plusieurs semaines déjà et vous avez pu apprécier sa gentillesse. Je tiens à le remercier pour son aide le jour de mon accident...

André fouille dans la poche de sa veste et en retire un collier de cuir garni de rivets argentés.

— Voilà pour ton protégé! dit-il en s'adressant à Natacha.

Notre amie passe le collier autour du cou du louveteau et lui murmure quelques mots à l'oreille.

Coco s'élance, saute sur les genoux d'André et lui lèche le nez.

Natacha, Marie et tous les invités éclatent de rire.

Table des matières :

Natacha 7

Etrange découverte 11

Coco 17

Natacha désobéit 21

Le biberon 25

Coco fait une bêtise 29

Retour à la forêt 35

L'ours et les abeilles 41

Les frères casse-noisettes 47

Curieuses rencontres 53

Natacha s'ennuie 59

Des lumières dans la nuit 63

La fête foraine 69

Le vieux loup 73

Les campeurs 81

Le hérisson 87

L'accident 95

Le pardon 101

Les retrouvailles 107

Retour à la ferme 115

Tout finit bien! 121

© Editions HEMMA
N° d'impression : 1938707
Dépôt légal : 0188/0058/196

Imprimé en Tchécoslovaquie
Edition 01.88